moufles

corps

glace

pull

bottes

bonnet

étoiles

boules

bonhomme
de neige

À Victoria et Thomas,

Peral

Sourimousse
bonhomme de neige

Sourimousse est une délicieuse

qui aime la et la .

Le matin, elle bondit hors du

et écarte les ⬚ ⬚ de la ⬚ .

L'hiver a recouvert l' et les

d'un  blanc. « Chic, il a neigé ! »

s'écrie Sourimousse.

« Les  de neige sont de petites de », lui dit papa.

Sourimousse met son  , ses , son et ses , car elle va construire un .

Elle roule deux énormes  de neige pour le , et une petite pour la .

Elle place deux  pour les , une pour le , et des pour les .

Il faut aussi un  et une

pour qu'il ne prenne pas froid !

« Il est magnifique ! »

dit Sourimousse.

Sourimousse aimerait glisser

sur une , mais elle n'en a pas.

Alors, elle a une idée...

Elle va chercher un  et le

de son lit.

Elle met le  dans le  , qu'elle

ferme avec une . « Ce sera une

de course ! » se réjouit Sourimousse.

Elle tire sa jusqu'au sommet

de la  ...

... et s'assied sur le  , se pousse du  et, hop ! elle dévale la  comme une  .

Elle évite un , tourne autour d'un , fonce sur le  et...

boum, patatras !

Sourimousse est coincée dans le  du bonhomme, le  sur la tête.

Papa s'écrie : « Quelle superbe  de neige ! Bravo, Sourimousse, il te ressemble très fort, ton ! »

Imprimé en Belgie

tête

billes

cailloux

yeux

nez

chapeau

boutons

écharpe

carotte

sac poubelle